Caroline Barber   Laura Giraud

Le Vol

Pour Jennifer,
Philémon patientait dans
l'ombre d'une de tes photos!
C.B.

Merci à toutes les personnes
magnifiques qui m'ont permis
de m'envoler.
L.G.

Les 4 coups

Philémon Croquenot
a une obsession:
les chaussures.

Il les aime toutes.

Il en possède 401 paires.

Toutes choisies avec soin.
Pourtant, aucune ne lui appartient !

Ce matin, Philémon
est à la recherche de
gougounes fleuries.

Pas n'importe lesquelles.
Le modèle à la mode couleur soleil
avec double rangée de pétales.
Depuis dix ans, le voleur suit la
tendance estivale et n'a jamais
manqué une année.

Caché sous son chapeau melon,
l'air décontracté, il commence à magasiner.

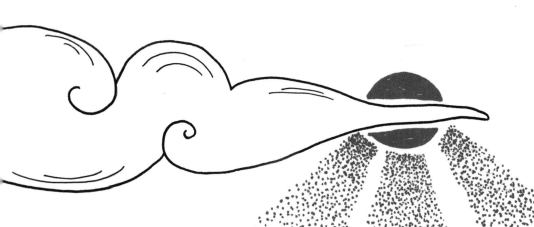

Philémon remarque très vite
des gougounes laissées à l'abandon.
Discrètement, il en retourne une avec le pied.

Zut, le modèle de l'été dernier !

Philémon ne s'inquiète pas.
Plus d'une baigneuse a dû craquer
pour la paire de l'été. L'objet de
son vol ne doit pas être très loin.

Bingo !

Derrière une glacière,
il aperçoit les gougounes
de son choix.

Double bingo !

Leur propriétaire regarde ailleurs.

Tout excité, le voleur s'avance.

Un chihuahua le surprend !

- Un vrai chien de garde ! lui lance
l'occupante de la chaise d'à côté.
Philémon reconnaît aussitôt sa voisine.

— Bonjour, Huguette,
la salue-t-il,
prêt à repartir.

— Attendez !
Asseyez-vous
un instant.

Philémon est
sur le point de
refuser l'invitation quand,
tout à coup, son cœur s'emballe.
La chance est avec lui.

Les gougounes
de ses rêves sont là,
à portée de main.

- M'asseoir ? Si cela fait votre bonheur,
Huguette, pourquoi pas !

- S'il vous plaît, prenez mes gougounes.

- Vos gougounes ? s'étrangle presque Philémon.

- Oui, vous seriez gentil de les ranger
au pied de ma chaise.

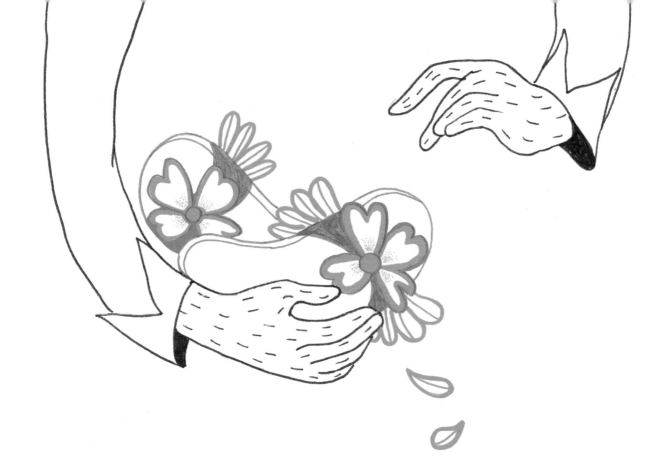

En attendant qu'elles soient toutes à lui,
il dépose les gougounes délicatement sur le sable.

L'idée de commettre bientôt le vol
lui donne chaud.

Il ôte son melon.

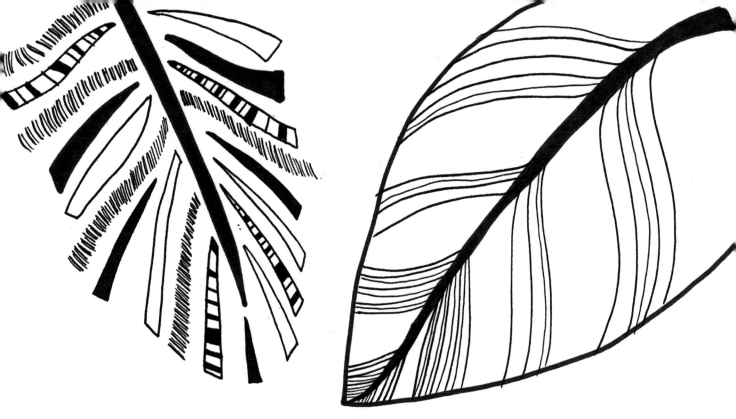

- Vos pieds doivent cuire dans vos souliers, Philémon.

- En effet.

- Vous devriez porter des gougounes !

- Voyez-vous, j'en ai justement une paire en vue !

- Un modèle à la mode ?

- Bien sûr !

- Comme les miennes ?

- Absolument !

Huguette parle, parle...
Philémon s'impatiente.

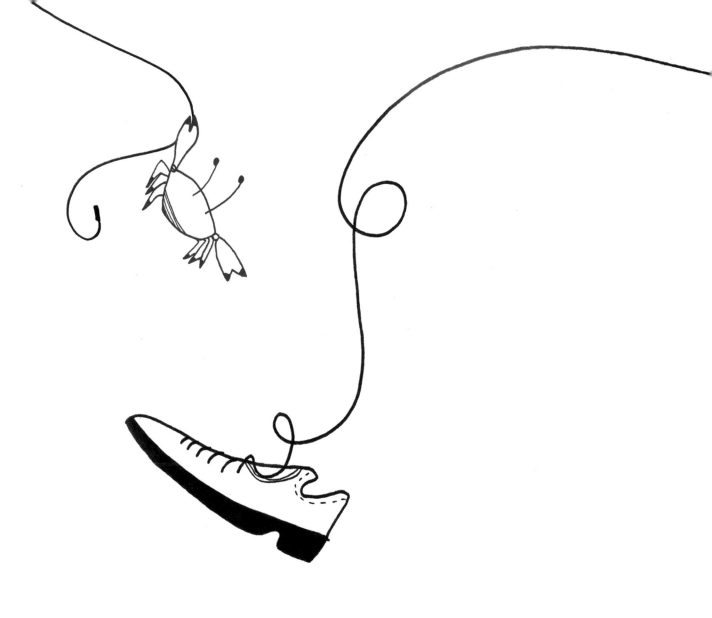

N'y tenant plus, le voleur prétexte un lacet défait.
Il se baisse, saisit les gougounes et les glisse agilement
sous le gilet de son costume.

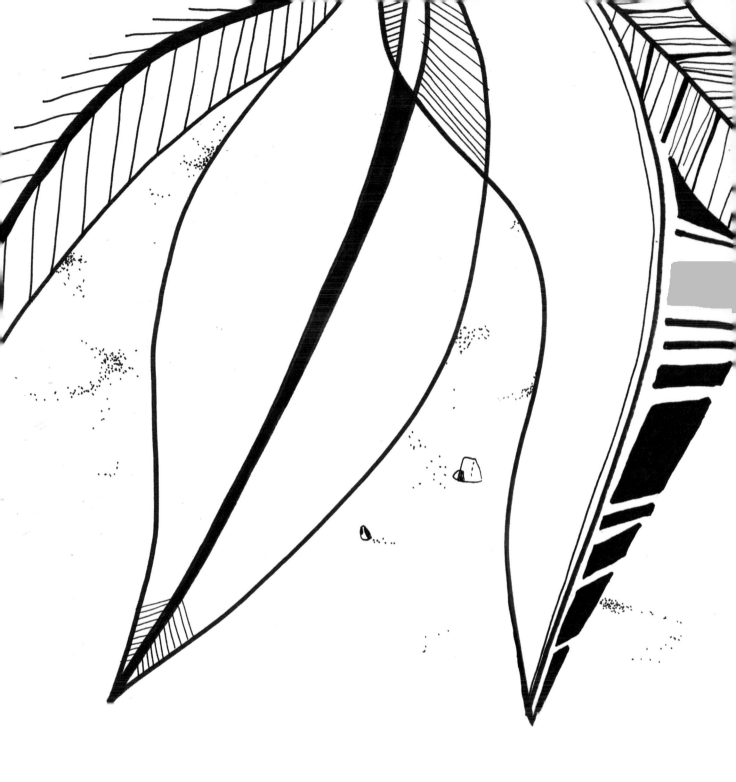

Le tour est joué, il peut enfin s'en aller.

— Huguette, cette discussion fut... comment dire ?

— Un cadeau inattendu ?

— Exactement !

Amusée, Huguette Galurin regarde Philémon Croquenot
s'éloigner. Elle quitte la plage à son tour. Pieds nus.
Qu'importe ! Aujourd'hui, elle ajoute
un 402e chapeau à sa collection :

le melon de ce filou de Philémon.

Nous remercions le Conseil des arts du Canada de l'aide accordée
à notre programme de publication et la SODEC pour son appui
financier en vertu du Programme d'aide aux entreprises du livre
et de l'édition spécialisée.

Nous reconnaissons l'aide financière du gouvernement du Canada par
l'entremise du Fonds du livre du Canada (FLC) pour nos activités d'édition.

Gouvernement du Québec – Programme de crédit d'impôt pour l'édition
de livres – Gestion SODEC

Les Éditions Les 400 coups sont membres de l'ANEL.

Le VoL

a été publié sous la direction de May Sansregret.

Design graphique : Bruno Ricca
Révision française : Lise Duquette
Correction : Sophie Sainte-Marie

© 2019 Caroline Barber, Laura Giraud
et les Éditions Les 400 coups
Montréal (Québec) Canada

Dépôt légal – 1ᵉʳ trimestre 2019
Bibliothèque et Archives nationales du Québec
Bibliothèque et Archives Canada

ISBN 978-2-89540-780-5

Loi 49-956 du 16 juillet 1949 sur
les publications destinées à la jeunesse.